LES COMPAGNONS MORTS-VIVANTS

LE RETOUR DU HAMSTER AFFAMÉ

Pour Alice et Archie — SH
Pour Louie, l'intrépide dompteur de hamsters — SC

Copyright © 2012 Sam Hay
Copyright pour les illustrations © 2012 Simon Cooper
Titre original anglais : Undead Pets: Return of the Hungry Hamster
Copyright © 2013 Éditions AdA Inc. pour la traduction française
Cette publication est publiée en accord avec Stripes Publishing LTD

Éditeur : François Doucet
Traduction : Patricia Guekjian
Révision linguistique : Féminin pluriel
Correction d'épreuves : Carine Paradis, Nancy Coulombe
Montage de la couverture : Matthieu Fortin, Mathieu C. Dandurand
Illustrations de la couverture et de l'intérieur : © 2012 Simon Cooper
Mise en pages : Mathieu C. Dandurand
ISBN papier 978-2-89733-309-6
ISBN PDF numérique 978-2-89733-310-2
ISBN ePub 978-2-89733-311-9
Première impression : 2013
Dépôt légal : 2013
Bibliothèque et Archives nationales du Québec
Bibliothèque Nationale du Canada

Éditions AdA Inc.
1385, boul. Lionel-Boulet
Varennes, Québec, Canada, J3X 1P7
Téléphone : 450-929-0296
Télécopieur : 450-929-0220
www.ada-inc.com
info@ada-inc.com

Diffusion
Canada :   Éditions AdA Inc.
France :   D.G. Diffusion
                Z.I. des Bogues
                31750 Escalquens — France
                Téléphone : 05.61.00.09.99
Suisse :   Transat — 23.42.77.40
Belgique :   D.G. Diffusion — 05.61.00.09.99

Imprimé au Canada

Participation de la SODEC.
Nous reconnaissons l'aide financière du gouvernement du Canada par l'entremise du Fonds du livre du Canada (FLC)
pour nos activités d'édition.
Gouvernement du Québec — Programme de crédit d'impôt pour l'édition de livres — Gestion SODEC.

**Catalogage avant publication de Bibliothèque et Archives nationales du Québec et Bibliothèque
et Archives Canada**

Hay, Sam

  [Undead pets. Français]
  Les compagnons morts-vivants
  Traduction de : Undead pets.
  Sommaire : t. 1. Le retour du hamster affamé -- t. 2. La revanche de la boule de poils fantôme.
  Pour enfants de 9 ans et plus.
  ISBN 978-2-89733-309-6 (vol. 1)
  ISBN 978-2-89733-324-9 (vol. 2)

  I. Guekjian, Patricia. II. Hay, Sam. Return of the hungry hamster. Français. III. Hay, Sam. Revenge of the phantom
furball. Français. IV. Titre. V. Titre : Undead pets. Français. VI. Titre : Le retour du hamster affamé. VII. Titre : La
revanche de la boule de poils fantôme.

PZ23.H39Co 2013   j823'.92   C2013-941690-0

LES COMPAGNONS MORTS-VIVANTS

LE RETOUR DU HAMSTER AFFAMÉ

SAM HAY

ILLUSTRATIONS DE SIMON COOPER

Traduit de l'anglais par
Patricia Guekjian

A·D·A
JEUNESSE

CHAPITRE UN

Joe aperçut immédiatement la vieille Jeep bosselée en tournant sur sa rue ce samedi après-midi. Elle était éclaboussée de boue, sa peinture était écaillée, sa plaque d'immatriculation pendait par un coin et le porte-bagages du toit se lamentait sous le poids des boîtes et des coffres. Joe fit un large sourire. Elle ne pouvait appartenir qu'à une seule personne : Oncle Charlie ! Une vague d'excitation le submergea et il courut le reste du chemin jusqu'à la maison.

— Joe ? Est-ce que c'est toi ? demanda Maman alors qu'il claquait la porte d'entrée. Nous avons un visiteur.

LES COMPAGNONS MORTS-VIVANTS

Joe se rendit à toute vitesse au salon, sans même enlever ses espadrilles encore recouvertes de boue parce qu'il avait joué au soccer dans le parc. Oncle Charlie était là, bien installé dans le divan, en train de siroter une tasse de café noir extra-fort.

— Joe ! Comment vas-tu, mon gars ?

Il se leva et fit un énorme câlin à Joe.

— Comme tu as grandi ! s'exclama-t-il. Tu es presque aussi grand que moi, maintenant !

Ce n'était pas exactement vrai ; Oncle Charlie le dépassait encore de beaucoup. Comme d'habitude, le grand-oncle de Joe était vêtu d'un vieil ensemble de safari kaki et ses cheveux gris étaient lissés vers l'arrière, et même s'il était pas mal vieux (si on comptait les rides de la même façon que les anneaux d'un tronc d'arbre, il aurait eu environ l'âge d'un grand chêne !), ses yeux pétillaient d'énergie.

— Oncle Charlie arrive d'Égypte, dit Maman. Regarde ce qu'il m'a apporté.

Elle montra un chameau en bois merveilleusement sculpté.

— Cool, dit Joe.

Joe pensait que son oncle Charlie était incroyable. Il était archéologue et passait la plupart de son temps à l'étranger à déterrer de vieilles reliques. Habituellement, ils n'avaient aucune nouvelle d'Oncle Charlie pendant des mois et tout d'un coup, il arrivait à leur porte avec des histoires de villes perdues, de temples secrets et de trésors…

— Alors, c'était comment, l'Égypte ? demanda Joe.

— Chaud, très chaud ! Et fascinant, aussi ! répondit Oncle Charlie. Nous avons trouvé une pyramide perdue ensevelie dans le sol. Imagine, Joe, une tombe vieille de 3000 ans qui contenait des sarcophages richement décorés, des statues en or, un char aussi gros qu'un autobus…

— Des momies ?

Oncle Charlie fit un large sourire.

— Bien sûr !

— Génial !

Joe adorait écouter Oncle

Charlie lui raconter ses aventures. Il commençait déjà à rêver à la pyramide secrète et aux trésors cachés à l'intérieur lorsqu'Oncle Charlie lui donna une petite poussée amicale pour le faire revenir au monde réel.

— Parle-moi de toi, maintenant, Joe. Qu'est-ce qui se passe avec toi ? As-tu eu ton fameux chien, finalement ?

La maman de Joe grimaça.

— Ne prononce pas ce mot. Je n'entends rien d'autre du matin au soir !

— Tous les garçons devraient avoir un chien comme compagnon, dit Oncle Charlie en faisant un clin d'œil à Joe.

— Exactement ! dit Joe. C'est ce que je passe mon temps à lui dire !

Maman fronça les sourcils.

— Mais je n'ai qu'à entendre le mot « compagnon » et je commence à éternuer !

Et comme si elle essayait de faire passer le message, elle retroussa son nez, cligna des yeux deux fois et fit un ATCHOUM ! bruyant.

Joe frotta le tapis avec le bout de son pied. Même s'il avait désespérément envie d'avoir un chien, il n'y avait aucune chance que cela arrive, avec les allergies de sa maman.

— Ne sois pas triste, Joe! dit Oncle Charlie. Va voir dans mon sac. J'ai quelque chose pour toi.

Joe s'égaya. Oncle Charlie rapportait toujours des cadeaux extraordinaires. Une fois, il avait donné à Joe une dent de tigre qu'il avait dû sortir de sa propre cuisse. Et puis il y avait eu l'œil en vitre super effrayant qui avait appartenu à un pirate mort depuis longtemps. L'œil reposait sur le dessus de la commode de Joe, fixant toute personne qui aurait osé entrer dans sa chambre.

— Cherche la vieille boîte à cigares : c'est dedans.

Joe fouilla dans la vieille sacoche en cuir usée d'Oncle Charlie et y trouva quelques carnets, une paire de chaussettes et beaucoup de sable… Puis, il aperçut la boîte à cigares. Il leva le couvercle et jeta un coup d'œil à l'intérieur.

— Wow, c'est, euh… génial, dit Joe.

Il sortit une pierre noire luisante de la boîte à cigares et l'examina de près. Elle était grossièrement taillée en forme d'animal.

— Qu'est-ce que c'est ?

— C'est une amulette, Joe. Une vraie amulette ! Les anciens Égyptiens avaient l'habitude d'en garder une sur eux pour leur porter chance.

Joe tenait l'amulette. Elle convenait parfaitement à la taille de sa main et elle était chaude et lourde. Il la caressa avec son pouce. Plus il la regardait, plus il l'aimait. Il aimait particulièrement sa forme.

— Est-ce qu'elle a une tête de chien ? demanda-t-il.

Maman leva les yeux au ciel en riant.

Oncle Charlie sourit.

— Pas de chien ; de chacal ! Elle représente Anubis, le dieu égyptien des morts.

— Génial ! souffla Joe.

Il avait très hâte de la montrer à Matt, son meilleur ami.

À ce moment, Maman jeta un coup d'œil par la fenêtre du salon.

— Ah, ah ! On dirait que le reste de la famille revient des courses. Je vais faire chauffer la bouilloire.

Alors qu'elle s'éloignait avec les tasses à café, Oncle Charlie s'approcha.

— Cette amulette existe depuis très longtemps, Joe, dit-il doucement. Elle est très spéciale. Elle exaucera un de tes vœux.

— Un vœu ?

Joe leva les yeux, incrédule. Il pouvait distinguer une blague à des kilomètres !

— C'est vrai. Fais-moi confiance. Mais un seul vœu, donc fais attention à ce que tu souhaites, car cela se réalisera.

À ce moment, la porte du salon s'ouvrit d'un coup et le frère et la sœur de Joe se précipitèrent dans la pièce.

— Oncle Charlie ! s'exclama Toby. M'as-tu apporté un os de dinosaure ?

Oncle Charlie rit.

— Pas cette fois-ci, Toby. Mais lorsque j'en trouverai un, tu seras le premier à le savoir.

Joe glissa l'amulette dans sa poche. Pas question qu'il continue à parler à Oncle Charlie avec Toby et Sarah dans les parages.

Quelques heures plus tard, après un souper animé et des histoires époustouflantes au sujet de la pyramide, Oncle Charlie annonça qu'il était temps qu'il parte.

— Et où vas-tu, cette fois-ci ? demanda Joe, même s'il savait que son grand-oncle ne dirait rien ; il ne disait jamais où il allait.

— Je ne dévoilerai rien ! dit Oncle Charlie en faisant un clin d'œil. Mais je suis certain que j'aurai de nouvelles histoires pour vous la prochaine fois que je vous verrai.

Il fit un câlin à chacun, ramassa sa sacoche et s'en alla dans la noirceur de la nuit. Joe le suivit jusqu'au portail.

Oncle Charlie prit une grande respiration.

— Renifle l'air, Joe. Il y a de la magie et de l'espièglerie. Je le sens.

Joe fit un large sourire.

— Oncle Charlie, tu n'allais pas m'en dire plus sur l'amulette ?

Oncle Charlie s'approcha et chuchota à Joe :

— N'oublie pas ce que je t'ai dit. Fais bien attention au souhait que tu feras !

Et, avec un dernier clin d'œil, il embarqua dans la Jeep.

La famille attendit sur le seuil de la porte quelques instants, saluant Oncle Charlie de la main tandis que la Jeep s'éloignait en grondant, puis tous entrèrent dans la maison.

— Bon ! dit Maman. C'est l'heure du coucher, tout le monde ! Vous êtes restés debout tard à cause de la visite d'Oncle Charlie.

Joe monta en se sentant morose. Maintenant qu'oncle Charlie était parti, tout allait revenir à la normale. « Si seulement j'avais un chien, se dit-il en se laissant tomber sur son lit. La maison ne semblerait pas aussi ennuyeuse après les visites d'Oncle Charlie.»

Mais cette fois-là n'était *pas* une fois comme les autres— cette fois, il avait l'amulette ! Il la sortit de sa poche et l'examina de près. Est-ce que c'était son imagination, ou elle était plus luisante qu'avant… et plus chaude, aussi ? Et si jamais cette pierre pouvait *vraiment* exaucer les souhaits ? Puis, il soupira. Ouais, tout cela est aussi crédible que les histoires de père Noël. Il avait dix ans, pas cinq ! Mais, de toute façon, qu'avait-il à perdre ?

Joe sourit largement. Il savait exactement quel vœu il allait faire.

— Je souhaite avoir un compagnon, dit-il doucement.

Et puis, plus fort :

— JE SOUHAITE AVOIR UN COMPAGNON !

Mais rien ne se passa. Joe, se sentant un peu ridicule, lança l'amulette sur sa table de nuit et s'en alla brosser ses dents. Quelques minutes plus tard, il grimpa dans son lit, éteignit la lumière et ferma ses yeux, en pensant toujours à des chiens — des chiens gros, poilus, qui courent après des bâtons…

Et c'est là qu'il l'entendit. Un petit son de grattouillement qui venait d'en dessous de son lit.

Joe resta immobile et écouta. Il l'entendit encore. Scritch, scratch, scrounch.

LE RETOUR DU HAMSTER AFFAMÉ

Qu'est-ce que cela pouvait bien être ? Des souris ? Des rats ? Mais ensuite, il entendit une autre sorte de bruit, comme si quelqu'un était en train de croquer dans quelque chose.

Joe saisit sa lampe de poche (qu'il gardait sous son oreiller, comme Oncle Charlie le lui avait recommandé). Il se pencha et dirigea la lumière sous le lit. Il eut le souffle coupé. Ce n'était pas une souris, ni un rat, *ni* une araignée. C'était…

CHAPITRE DEUX

C'était un hamster ! C'est-à-dire, plus ou moins. Cette chose *ressemblait* à un hamster, mais elle était légèrement verte. Et ses yeux étaient bizarres. Ils étaient gros, et rouges, et ils étaient exorbités comme si elle avait passé trop de temps devant la télévision. Joe regarda de plus près et se rendit compte que la chose mâchait les lacets de ses espadrilles.

— Hé ! Arrête ça ! dit-il d'un ton fâché.

La créature se figea, clignant les yeux dans la lumière de la lampe de poche. Joe étendit sa main pour la saisir, mais à ce moment, elle fit un gros ATCHOUM ! et éternua sur sa main.

De la morve de hamster! Ouache! Joe essuya sa main sur une vieille chaussette qui traînait par terre. Puis, la créature éternua encore — encore plus fort que la fois d'avant — et un de ses yeux sortit de sa tête!

Achou!

— Zut! couina la créature. J'ai horreur de cela! Envoie ta lumière un peu par là, pour que je puisse le trouver.

Joe était bouche bée. Était-il en train de perdre la tête, ou le hamster venait juste de parler?

— Je l'ai! couina le hamster en saisissant son œil manquant.

Il le dépoussiéra et le remit en place.

— Je m'appelle Boulette et j'ai besoin de ton aide!

Le hamster sortit d'en dessous du lit en se dandinant et s'inclina très bas. (C'est-à-dire, aussi bas qu'il le pouvait avec son gros ventre.)

— Tu es Joe, le gardien de l'amulette d'Anubis, n'est-ce pas ?

— Je… euh…, balbutia Joe.

Mais quelque chose avait déjà détourné l'attention du hamster. Il renifla l'air.

— Des croustilles ! Je sens des croustilles, dit-il.

Le hamster se dandina jusqu'au sac d'école de Joe. Il fouilla dedans, en ressortit un sachet vide de croustilles au fromage et à l'oignon et regarda à l'intérieur.

— Des miettes ! dit-il en renversant le sac pour les vider dans sa bouche.

Lorsque la dernière miette disparut dans sa gorge, il lâcha un énorme BRÔOOO puant.

— Eurk ! grommela Joe. C'est dégoûtant !

— Les oignons me font toujours ça, couina le hamster en jetant le sac vide et en essuyant ses pattes graisseuses sur son ventre. Bon, où en étions-nous ? Ah oui, tu es Joe, le gardien de l'amulette d'Anubis, ce qui veut dire que tu dois m'aider.

— Quoi ? Pourquoi ?

— Parce que *tu* as l'amulette et que *je* suis mort-vivant !

Le hamster ferma les yeux et sortit sa langue en faisant une face de mort.

— J'ai besoin de ton aide pour pouvoir passer dans l'au-delà. Sinon, je serai pris ici sur terre ; pour toujours !

Joe frotta ses yeux et cligna plusieurs fois. C'était impossible. Il ne parlait pas vraiment à un hamster zombie… N'est-ce pas ?

— Tu vois, couina le hamster, j'ai des affaires inachevées.

Joe fronça les sourcils.

— Des affaires *quoi* ?

— Des affaires inachevées, tu sais, des problèmes, des préoccupations, et je ne pourrai pas reposer en paix tant qu'elles ne seront pas réglées.

Joe déglutit avec peine. Il était sûrement en train de rêver. Maman allait l'appeler d'une minute à l'autre en criant : « C'est l'heure du déjeuner ! » et tout cela allait être fini.

Le hamster s'avança vers lui en se dandinant.

— La personne qui détient l'amulette d'Anubis a le devoir d'aider les compagnons morts-vivants comme moi. Anubis est le protecteur des morts et tu as fait le vœu sur sa pierre d'avoir un compagnon. On peut donc dire que tu t'es porté volontaire pour ce travail.

— Attends une minute, dit Joe, soudainement un peu fâché.

Souhaiter avoir un compagnon était une chose, mais aider des hamsters zombies avec leurs « affaires inachevées » était une tout autre chose !

Mais le hamster ne semblait pas écouter. Il ramassa un stylo sur le plancher et en prit une bouchée.

— Dépose ça ! cria Joe.

— Je mange toujours quand je suis nerveux, c'est plus fort que moi.

Le hamster fronça les sourcils.

— Le problème est que je suis inquiet qu'Olivier, le garçon à qui j'appartenais, soit triste sans moi.

Il prit une autre bouchée du stylo.

— Et je ne suis même pas sûr que ses parents lui ont raconté ce qu'il m'est arrivé. Comment je suis mort, je veux dire. Et si Olivier se sentait responsable de ma mort ?

— Un instant, dit Joe en essayant de bien comprendre ce qu'il entendait. Pourquoi se sentirait-il coupable ?

Le hamster était sur le point de finir de manger le stylo lorsque Joe essaya de s'en emparer. Mais, au même moment, le hamster éternua et une pluie de morve, de morceaux de stylo et de miettes croustillantes aspergea la main de Joe.

— Eurk! Dégoûtant!

Le hamster haussa les épaules.

— Ce n'est pas de ma faute! C'est la poussière qui me fait éternuer. Mon poil en est plein.

Pour en donner la preuve, il se mit à sauter et un énorme nuage de poussière se forma autour de lui.

Cette fois-ci, c'est Joe qui éternua.

— Arrête! Arrête!

— Tu ne veux pas savoir pourquoi je suis recouvert d'autant de poussière? C'est une histoire très triste.

— Non. Je ne veux *pas* savoir pourquoi tu es si poussiéreux, dit Joe, agacé, en se frottant le nez.

Mais pendant qu'il parlait, le hamster éternua une fois de plus, bombardant Joe d'une autre pluie de morve.

Joe serra les dents.

— Écoute, dit-il aussi gentiment qu'il le pouvait. Je pense que tu devrais peut-être partir. Tu sais, aller au paradis des hamsters, ou là où les compagnons se tiennent lorsqu'ils sont morts.

— Je te l'ai déjà expliqué, couina le hamster d'un

ton fâché. Je ne peux pas ! Je suis un compagnon mort-*vivant* et je ne serai pas mort tant que *tu* ne m'auras pas aidé !

— Je ne peux *pas* t'aider, dit Joe.

— Mais tu dois le faire ! Tu es le gardien de l'amulette d'Anubis ! Tu dois m'aider à m'assurer qu'Olivier va bien. Un point c'est tout !

Le hamster croisa ses petites pattes avant et fusilla Joe du regard.

Joe en avait assez.

— Ah oui ? On verra bien !

Il ramassa l'amulette, qui se trouvait encore sur sa table de nuit, et se rendit d'un pas ferme jusqu'à la fenêtre. Il ouvrit la fenêtre, marmonna « Désolé, Oncle Charlie » et lança l'amulette dehors dans la nuit.

— Voilà, dit-il. Je ne suis plus le gardien de l'amulette d'Anubis, alors tu peux aller embêter quelqu'un d'autre.

Et en disant cela, il grimpa dans son lit et éteignit la lumière.

— Si seulement tu écoutais mon histoire…, gémit le hamster.

— Non !

Joe tira sa couette par-dessus sa tête.

— Mais tu dois le faire !

— Non! cria Joe encore une fois. Et arrête de parler! Va donc te coucher.

— Me coucher? couina le hamster. Tu ne connais rien aux hamsters? Nous sommes des animaux nocturnes. Je vais être éveillé toute la nuit.

Joe soupira et cacha sa tête sous son oreiller.

— Arrête de faire l'idiot! couina le hamster. J'ai besoin de ton aide et j'en ai besoin tout de suite!

Joe grogna.

— SORS DU LIT ET AIDE-MOI!

Joe jeta un coup d'œil d'en dessous de son oreiller et vit que le hamster était debout au pied de son lit et qu'il avait l'air très fâché.

Joe tendit sa main hors du lit, saisit une chaussette sale sur le plancher et la lança sur le hamster.

— Mange donc ça! dit-il sèchement.

BOUM! Le hamster dégringola du lit avec un couinement de rage.

Pendant un instant ou deux, il y eut un silence paisible, mais ensuite, Joe entendit un son de mastication familier. Le hamster faisait exactement ce qu'il lui avait dit : il mangeait sa chaussette !

— Miam, marmonna-t-il. Délicieux !

Joe soupira et remit l'oreiller sur sa tête.

CHAPITRE TROIS

Lorsque Joe ouvrit les yeux le dimanche matin, il se demanda si tout cela n'avait été qu'un mauvais rêve. Mais ensuite, il remarqua qu'il y avait des petites traces de pas poussiéreux partout dans la chambre, et qu'il manquait des petites bouchées un peu partout : dans le bas de ses rideaux, sur son sac d'école, et même sur ses sous-vêtements !

Toutefois, il ne voyait Boulette nulle part.

Joe sortit de son lit avec précaution, ouvrit la porte de sa chambre et regarda sur le palier. Il n'y avait aucune trace de la petite bestiole, mais il aperçut quelque chose d'autre. L'amulette d'Anubis était posée sur le dessus de la bibliothèque.

À ce moment, Joe entendit un grignotement en provenance de la salle de bain. Il ouvrit la porte et trouva Boulette assis dans la baignoire vide, en train de manger l'éponge rose de sa maman.

— Hé, arrête ça !

Joe arracha l'éponge de la bouche du hamster.

— Ne crie pas après moi, balbutia Boulette. Si tu m'avais aidé lorsque je te l'ai demandé, au lieu de simplement m'ignorer, je ne serais plus ici !

Le hamster se hissa sur le côté de la baignoire en utilisant la chaîne du bouchon en guise de corde. Puis, il commença à renifler autour du bain moussant de maman.

— Mmh, des fraises…

— Ne touche pas à cela ! s'exclama Joe.

— Est-ce que ça va bien, Joe ?

La tête de Papa apparut dans la porte.

— J'ai cru t'entendre parler à quelqu'un.

Joe déglutit avec peine. Il ne savait pas comment il allait expliquer à Papa la présence du hamster. Il se retourna en cachant Boulette pour que Papa ne le voie pas.

— Hé, as-tu vu ton amulette ? demanda Papa. Elle est sur la bibliothèque. Je l'ai trouvée dehors ce matin lorsque je suis allé chercher le journal. Tu as dû l'échapper lorsque tu disais au revoir à Oncle Charlie.

C'est donc comme cela qu'elle était réapparue !

— Ouais, merci, Papa.

Snif !
Snif !

C'est à ce moment que Papa remarqua l'éponge mutilée dans les mains de Joe.

— Bon sang ! Qu'est-ce que tu as fait ?

Boulette, derrière Joe, lâcha un énorme rot. Joe sursauta.

— Eh bien, tu vois, balbutia Joe, j'ai, euh… eh bien. J'ai utilisé l'éponge pour nettoyer mes bottes de soccer, hier soir.

Papa soupira.

— Je t'ai déjà dit de nettoyer tes bottes à l'extérieur, Joe, et tu sais que tu ne devrais pas utiliser une éponge pour le bain. Il y a une brosse à récurer exprès pour cela, dans le garage. Ta maman va faire une crise !

— Désolé. Je vais lui en acheter une autre.

— Bonne idée. Et ne refais plus une chose pareille !

Alors que Papa se retournait pour partir, le hamster sauta en bas de la baignoire, se faufila entre les jambes de Joe et glissa le long du plancher de la salle de bain, droit vers Papa.

— Arrête ! cria Joe.

Papa se retourna.

— Quoi ?

— Euh… eh bien…, dit Joe, totalement horripilé, en regardant Boulette renifler autour des pantoufles de Papa comme s'il était sur le point d'en prendre une petite bouchée.

— Non ! cria Joe.

Boulette leva les yeux au ciel.

— D'accord, d'accord.

Papa fronça les sourcils.

— Non quoi ? De quoi tu parles, Joe ? Et pourquoi tu n'arrêtes pas de regarder mes pieds ?

Papa regarda pour voir s'il avait mis le pied dans quelque chose.

Pendant ce temps, Boulette revint dans la salle de bain en se dandinant et se hissa sur le support à serviettes.

— Il ne peut ni me voir ni m'entendre, Joe, couina-t-il. Il n'y a que toi qui le peux. Regarde, je vais te montrer !

Le hamster sortit sa langue et fit un gros *pfft* mouillé à Papa.

Joe eut le souffle coupé, mais Papa ne cligna même pas des yeux.

— Je n'ai pas toute la journée, Joe. Quand tu te souviendras de ce que tu voulais dire, tu viendras me trouver.

Papa quitta la salle de bain en secouant la tête.

Joe lâcha un soupir de soulagement.

— Ce n'était pas drôle ! souffla-t-il. Et maintenant, je suis dans le pétrin à cause de l'éponge.

Boulette haussa les épaules.

— Ce n'est pas de ma faute. Je n'arrête pas de te le dire ; je mange toujours, quand je suis inquiet.

— Alors, arrête de t'inquiéter !

— Je ne PEUX pas ! Pas avant de savoir si Olivier va bien. Plus vite tu commenceras à m'aider, plus vite j'arrêterai de manger et d'être dans tes pattes. Après tout, c'est ton devoir en tant que gardien de l'amulette d'Anubis !

— Vas-tu arrêter de radoter à propos de cette amulette stupide ?

Joe agrippa le hamster et retourna dans sa chambre. Il déposa Boulette sur son bureau et s'habilla aussi rapidement que possible.

— Ne cherche pas les ennuis! dit-il au hamster alors qu'il attachait ses espadrilles et se dirigeait vers la porte. Je vais me débarrasser de l'amulette une fois pour toutes!

Lorsque Joe revint dans sa chambre, Boulette l'attendait avec un sourire suffisant.

— Tu ne pourras pas y échapper, Joe. C'est ton devoir! Est-ce que tu vas m'aider, maintenant?

Joe soupira. Il ne semblait pas avoir le choix! Il avait tout essayé. Tout d'abord, il avait jeté l'amulette dans les égouts devant sa maison, mais des travailleurs y étaient et l'en avaient ressortie pour lui. Ensuite, Joe l'avait enterrée dans le jardin, mais le chat des voisins l'avait déterrée et laissée devant sa porte. Puis, il avait essayé de la mettre dans la toilette et de tirer la chasse, mais son petit frère l'avait aperçue et l'avait repêchée pour lui!

Cependant, il ne s'avouait pas encore vaincu. Il descendit les marches à toute allure, se faufila dans la salle à manger et alluma l'ordinateur. Il n'était pas censé l'utiliser sans le dire à ses parents, mais c'était une urgence! Il ouvrit le compte de courriel de sa maman et trouva l'adresse d'Oncle Charlie. Son grand-oncle ne consultait pas ses courriels très souvent. En général, il n'avait pas accès à Internet lors de ses voyages, mais ça valait la peine d'essayer. Joe commença à taper…

Cher Oncle Charlie,
J'ai fait un vœu sur l'amulette, mais ça a mal tourné! Comment je fais pour annuler le vœu?
S'il te plaît, réponds-moi ou appelle bientôt. Merci!
Joe

ENVOYER ✉

Alors que Joe cliquait sur le bouton «Envoyer», il entendit une petite voix dire : «Joe… Joe…» et Boulette grimpa sur le bureau à côté de lui.

Joe secoua la tête. Il *devait* y avoir une manière de se débarrasser de ce souhait. Soudainement, il eut une autre idée : Internet ! Bien sûr ! On pouvait trouver n'importe quoi sur Internet. Il pourrait sûrement y trouver des renseignements sur l'amulette.

— Ça s'épelle comment, « Anubis » ? demanda Joe en ouvrant le navigateur Web.

Boulette haussa les épaules, alors Joe se contenta de l'écrire au son. Des centaines de résultats de recherche s'affichèrent, dont plusieurs à propos d'Anubis, le dieu égyptien des morts. Mais l'un d'eux en particulier se démarqua :

La légende de l'amulette d'Anubis.

Joe cliqua sur le lien. Alors que la page se chargeait, il ressentit une montée d'excitation. Il trouverait sûrement la solution à son problème de hamster, maintenant. Au haut de la page, il y avait un croquis de son amulette : noire, luisante et en forme de chacal. Et à côté, il y avait une description…

La légende de l'amulette d'Anubis

L'amulette d'Anubis est une pierre taillée représentant Anubis, le dieu égyptien des morts à tête de chacal. (Anubis est aussi connu comme le Conducteur des âmes ou le Gardien des morts.) On dit qu'Anubis a inventé le procédé de momification et qu'il était adulé comme protecteur des morts. Selon la légende, l'amulette est dotée de pouvoirs spéciaux, dont celui d'accorder un seul souhait à son détenteur ; un souhait qui ne peut être annulé !

— Zut! marmonna Joe.

— Je te l'avais dit! dit Boulette d'un ton suffisant. Alors, es-tu prêt à m'aider, *maintenant*?

Mais Joe n'eut pas l'occasion de rouspéter, car à ce moment, il entendit crier «Déjeuner!» de la cuisine.

Joe agrippa le hamster et ouvrit le tiroir du bureau. Il déplaça des stylos, du ruban adhésif et une perforeuse et posa Boulette à l'intérieur.

— Maintenant, reste là et ne fais pas de bruit! dit-il en fermant le tiroir énergiquement. Et essaie donc de ne rien manger! Je reviens bientôt.

CHAPITRE QUATRE

— Te voilà, Joe, dit Maman. Ce n'est pas ton genre d'être le dernier arrivé à table. Surtout quand ton papa fait des œufs et du bacon !

— Ouais, j'étais juste… à la salle de bain.

— Qu'est-ce que tu veux manger, Joe ? demanda Papa en déposant des tranches de bacon dans la poêle. Des rôties avec de la marmelade ? Ou la totale : bacon, œufs et tomates ?

Joe avait l'eau à la bouche en humant l'odeur du bacon qui cuisait.

— Des rôties *et* la totale, s'il te plaît !

Il était sur le point de s'asseoir lorsqu'une petite voix couina « ATTENTION ! » en provenance de la chaise.

C'était Boulette.

Le cœur de Joe se fit lourd.

— Je t'avais dit de rester là ! chuchota-t-il alors que Boulette se hissait sur la table.

Sarah jeta un regard par-dessus sa revue et haussa un sourcil vers son frère.

— Tu parles à qui, crétin ?

— Oh, euh… à personne.

— Qu'est-ce qu'on mange ? dit Boulette.

Joe s'assit en lançant un regard noir au hamster.

— Descends de la table !

Sarah déposa sa revue.

— Franchement, tu parles à qui ? Ton ami imaginaire ? se moqua-t-elle.

— Je n'ai pas d'ami imaginaire ! répondit sèchement Joe.

— Je n'arrête pas de te le dire, ils ne me voient pas et ils ne m'entendent pas, dit Boulette. Regarde.

À la grande stupeur de Joe, Boulette se mit à se dandiner sur la table en s'approchant de Sarah et commença à sauter dans les airs, créant un nuage de poussière autour de lui. Sarah poursuivit sa lecture, complètement inconsciente de la présence du hamster zombie qui sautait sur la table.

— Voilà, Joe, dit Maman en lui donnant une assiette de rôties garnies de sa marmelade maison.

Le ventre de Joe gargouillait — c'était ses préférées ! Mais lorsqu'il s'étira pour prendre une rôtie, Boulette se rua vers elle en même temps et elle commença à disparaître rapidement.

— Ralentis, Joe ! dit Papa en riant lorsqu'il revint à table avec une assiette d'œufs et de bacon pour Sarah. Tu as mangé la moitié de ta rôtie en moins de 10 secondes !

— Il a peut-être l'aide de son ami imaginaire, dit Sarah avec un sourire bête.

— Allez, Sarah, dit Papa. Laisse ton frère tranquille.

Joe fusilla sa sœur du regard. Elle était presque aussi agaçante que Boulette, qui était maintenant en train de lécher la marmelade sur ses pattes collantes.

Le hamster se retourna vers Joe.

— Bon, est-ce qu'on peut partir à la recherche
d'Olivier, maintenant ?

— Je ne vais pas t'aider ! souffla Joe.

— Il l'a encore fait, dit Sarah. L'as-tu entendu,
Papa ? Il parle tout seul comme un enfant de 5 ans !

**Crounch
Crounch !**

Toby, qui avait 6 ans et qui s'amusait à parler tout seul depuis les 10 dernières minutes, lui fit une grimace. Joe aussi. Mais avant que la guerre puisse s'installer, Maman s'approcha de la table. Son nez se mit à remuer, ses yeux se remplirent d'eau et elle éternua très fort!

— Est-ce que le chat des voisins est entré ici? demanda-t-elle en se frottant les yeux.

Papa secoua la tête.

— C'est peut-être l'ami imaginaire de Joe qui te fait éternuer, Maman, dit Sarah. Peut-être que c'est un gros colley poilu.

« Si seulement c'était cela! » se dit Joe. Une idée lui vint soudainement à l'esprit. Peut-être que Sarah s'approchait de la vérité… Est-ce que Boulette causait les allergies de Maman? Elle ne pouvait pas le voir, mais pouvait-elle sentir sa présence d'une quelconque manière?

Les yeux de Maman coulaient maintenant à flots et son nez était tout rouge. Il fallait que Joe amène Boulette le plus loin d'elle possible. Il agrippa le hamster et le fourra dans sa poche (au grand mécontentement de Boulette).

— Et voilà ! dit Papa en donnant une assiette à Joe. Une totale !

— Désolé, Papa, je ne peux plus manger. Je me sens un peu malade après avoir mangé la rôtie si vite. Je te la laisse, dit-il.

Joe se leva d'un bond et se précipita dans sa chambre avant que Papa puisse l'arrêter.

— J'ai manqué mon déjeuner à cause de toi ! marmonna-t-il en laissant tomber Boulette sur son bureau.

Boulette souffla.

— Si seulement tu m'écoutais, je pourrais t'expliquer pourquoi j'ai besoin de ton aide.

— D'accord ! dit Joe sèchement. Je t'écoute, maintenant.

Boulette resta silencieux pendant un instant, et puis il commença…

J'avais six semaines lorsque je suis arrivé chez Olivier.

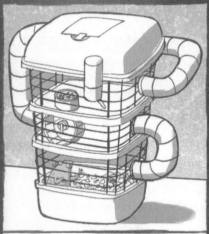

Il m'a donné une maison extraordinaire...

et beaucoup de gâteries !

Tellement de gâteries que je suis devenu trop gros pour mes tunnels.

— Tout cela est bien triste, dit Joe, mais je ne comprends toujours pas comment je peux t'aider.

Boulette saisit un crayon dans le porte-crayons de Joe et commença à le grignoter.

— Je veux que tu aides Olivier. Je ne pense pas qu'il sait que c'est sa maman qui a laissé ma cage ouverte.

Boulette grignotait encore plus fort.

— Il doit se demander comment c'est arrivé. Et il va tellement s'ennuyer de moi… Une semaine s'est déjà écoulée depuis l'accident.

Joe fronça les sourcils.

— Donc, tu veux que je m'assure qu'Olivier va bien ? C'est ça ?

Le hamster fit signe que oui.

— Est-ce que tu sais où il habite ?

— Non, mais l'insigne sur son sac d'école ressemble à celui qu'il y a sur le tien.

— Tu penses qu'il va à mon école ?

Joe se creusa le cerveau pour voir s'il connaissait un Olivier.

— Je crois que Toby a un ami qui s'appelle Olivier…

Boulette s'égaya soudainement.

— Ça pourrait être lui ! Je sais, demain, j'irai à l'école avec toi et je te le montrerai.

— Peut-être…, dit Joe, qui n'était pas certain de vouloir amener Boulette à l'école.

Mais Boulette était heureux (du moins, pour le moment). Il bâilla, vida le porte-crayons et grimpa dedans.

— Demain, on ira à l'école, dit-il sur un ton endormi. Et on pourra voir si Olivier va bien…

Ses yeux commencèrent à se fermer. Et soudainement, comme si quelqu'un avait appuyé sur un bouton « sommeil », Boulette se mit à ronfler.

Joe soupira. Les hamsters ! Debout toute la nuit, endormis toute la journée ! Les chiens faisaient décidément de meilleurs compagnons. Il sortit de sa chambre sur la pointe des pieds et descendit pour voir s'il restait du bacon.

CHAPITRE CINQ

Heureusement, Joe ne vit pas beaucoup Boulette pendant le reste de la journée. Papa l'emmena nager avec Toby tandis que Maman et Sarah allèrent magasiner. Ensuite, ils se retrouvèrent tous chez les grands-parents pour une petite visite.

Il était passé 19 h lorsqu'ils arrivèrent à la maison. Boulette attendait Joe dans sa chambre. Le hamster était bien réveillé et excité.

— J'ai tellement hâte de voir Olivier demain! dit-il en s'approchant de Joe tout en dansant sur le bureau. Lorsque je serai certain qu'il va bien, je pourrai passer dans l'au-delà.

Il se mit à tournoyer et tournoyer… jusqu'au bout du bureau, et il tomba dans la poubelle de Joe.

— D'accord, d'accord, je t'emmènerai à l'école, dit Joe en essayant de ne pas rire alors qu'il repêchait Boulette dans la poubelle. Mais essaie de ne pas faire trop de bruit, ce soir. J'ai besoin de dormir avant l'école. Et ne mange pas mes choses !

Boulette fit un signe de croix.

— Merci ! Merci ! Je serai gentil, promis.

Et il le fut, en quelque sorte. Pendant que Joe dormait, Boulette s'amusa dans l'un de ses tiroirs en se faisant une tanière. (Il ne grignota que quelques chaussettes.) Ensuite, il explora le placard et trouva plein de boîtes et de jeux de société. (Il n'avala que deux dés et trois pions.) Enfin, il y avait le sac de sport de Joe où fouiller, et il y trouva un vieux cœur de pomme et une peau de banane qui le tinrent occupé jusqu'au lever du soleil.

Lorsque Joe se réveilla le lendemain matin, Boulette s'était endormi dans sa tanière-tiroir à

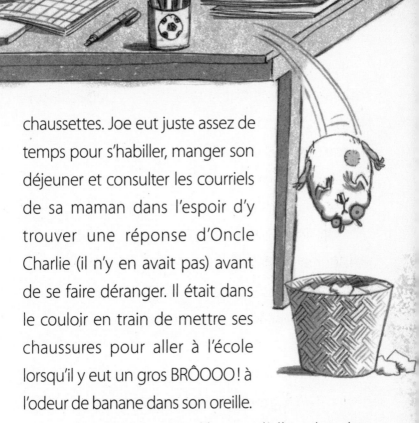

chaussettes. Joe eut juste assez de temps pour s'habiller, manger son déjeuner et consulter les courriels de sa maman dans l'espoir d'y trouver une réponse d'Oncle Charlie (il n'y en avait pas) avant de se faire déranger. Il était dans le couloir en train de mettre ses chaussures pour aller à l'école lorsqu'il y eut un gros BRÔOOO! à l'odeur de banane dans son oreille.

— Est-ce que c'est l'heure d'aller chercher Olivier? demanda Boulette en grimpant dans le sac d'école de Joe.

Joe fit signe que oui et chuchota :

— Reste dans le sac et ne fais pas de bruit. Et ne mange pas mon lunch, OK?

Lorsque Toby fut prêt, ils se dirigèrent vers l'école. Ils n'étaient pas encore arrivés au bout de la rue que Boulette gémissait déjà.

— Tu ne pourrais pas marcher plus vite ? couina-t-il en sortant la tête du sac. Dépêche-toi ! Nous devons trouver Olivier ! VITE !

Joe serra les dents.

— La ferme !

— Tu parles à qui, Joe ? demanda Toby.

Mais Joe n'eut pas à répondre parce que son meilleur ami, Matt, apparut. Il les attendait au coin de leur rue tous les matins.

— Hé, dit Matt en souriant. Bonne fin de semaine ?

Joe grimaça.

— J'en ai eu des meilleures !

Joe ignora Boulette pendant le reste du trajet et parla de jeux vidéo avec Matt.

Lorsqu'ils arrivèrent aux portes de l'école, Boulette lâcha soudainement un couinement très fort.

— Il est là ! C'est Olivier ! Le garçon avec un manteau vert qui joue au soccer !

Et puis, après une pause, il ajouta avec une petite voix déçue :

— Le garçon qui rit et qui fait des blagues… et qui n'a pas l'air triste du tout.

Joe balaya du regard le terrain de jeu et aperçut Olivier.

— Hé, Toby, est-ce que c'est ton ami Olivier ?

— Où ? Là-bas ? Ouais, c'est lui.

— Est-ce que tu le connais bien ? demanda Joe en essayant de garder un ton indifférent.

— Je vais chez lui après l'école demain, dit Toby. Pourquoi ?

À ce moment, la cloche sonna et Joe se dépêcha vers sa classe.

— Ne t'inquiète pas, chuchota-t-il à Boulette en mettant son sac sous son bureau. J'irai trouver Olivier à la récréation.

Mais Boulette ne pouvait pas attendre aussi longtemps. Il devait savoir pourquoi Olivier n'était pas triste ! Aussitôt que le cours commença et que l'attention de Joe fut détournée, il sortit du sac et s'en alla en se dandinant.

Il était passé 10 h lorsque Joe remarqua que Boulette manquait à l'appel.

— Oh non ! marmonna-t-il en jetant un regard autour de la salle de classe.

Joe ne pouvait qu'imaginer le genre de bêtises que Boulette devait être en train de faire. Il soupira. Il fallait qu'il trouve un moyen de sortir de la classe et d'essayer de le trouver.

— Pardon, mademoiselle Bruce, dit-il en levant la main. Est-ce que je peux aller aux toilettes ?

Son enseignante le regarda par-dessus ses lunettes.

— Tu ne peux pas attendre jusqu'à la récréation ?

Joe croisa ses jambes et fit une grimace.

— Non ! Je suis désespéré ! Je pense que je vais mouiller mes pantalons.

Tout le monde se mit à rire. C'est-à-dire, tout le monde sauf Mademoiselle Bruce, mais elle le laissa sortir quand même.

Par chance, Boulette avait laissé une minuscule piste de pas poussiéreux. Joe les suivit le long du corridor, passa devant deux salles de classe et les toilettes des garçons, jusqu'à ce que les pas disparaissent dans les cuisines. Joe déglutit avec peine. Les élèves n'avaient pas le droit d'y entrer,

mais il devait trouver Boulette! Il se faufila à l'intérieur et se cacha derrière une tour de plateaux lorsque deux femmes de la cafétéria apparurent.

— Je ne comprends pas, disait l'une d'elles. J'ai laissé deux douzaines de petits gâteaux à la confiture de côté et maintenant, six d'entre eux ont disparu!

Joe leva les yeux au ciel : Boulette! Mais il n'y avait toujours aucune trace de lui. Puis, Joe aperçut à nouveau des traces de pas, mais, cette fois-ci, avec des contours en confiture! Elles menaient de l'autre côté de la cuisine et à travers une autre porte.

LE RETOUR DU HAMSTER AFFAMÉ

Joe se pencha pour que les femmes ne le voient pas et il se faufila à travers la cuisine en suivant la piste, passant devant les toilettes des filles et le placard de l'homme d'entretien, jusqu'à ce que les traces de pas s'arrêtent, devant le bureau du directeur. Boulette n'était sûrement pas entré là ?

Joe prit une grande respiration et frappa à la porte. Il n'était pas certain de ce qu'il allait dire — *Pardon, monsieur, pourriez-vous me redonner mon hamster zombie ?* —, mais heureusement, personne ne répondit. Joe ouvrit la porte et regarda tout autour. Le bureau était vide.

— Boulette ? Es-tu ici ? chuchota-t-il.

Et c'est là que Joe l'aperçut, endormi sur le bureau, dans la boîte à lunch du directeur ! Les restants d'un dîner étaient parsemés autour de lui : un cœur de pomme, des miettes de sandwich et un

pot de yogourt aux fraises, léché jusqu'à la dernière goutte. Boulette avait tout mangé !

— Boulette ! cria Joe. Qu'est-ce que tu as fait ?

Il se précipita de l'autre côté de la pièce et saisit le hamster endormi.

— Réveille-toi !

— Joe Edmunds ! Qu'est-ce que tu fais ici ?

Joe eut le souffle coupé. Monsieur Hill, le directeur, se tenait dans le cadre de porte et son visage était orageux.

CHAPITRE SIX

Joe déglutit avec peine.

— Euh… eh bien, vous voyez, Monsieur, j'ai vu une souris dans le corridor et elle a couru sous votre porte. J'ai frappé, mais vous n'étiez pas là, donc j'ai décidé d'essayer de l'attraper… Mais je pense qu'elle a mangé votre lunch.

Monsieur Hill ne prononça pas un mot.

Joe voyait que le directeur n'était pas d'humeur à écouter des histoires invraisemblables.

— Honnêtement, monsieur, c'est vrai, dit-il d'une voix faible.

Monsieur Hill se croisa les bras ; il n'était pas impressionné.

— Je suis parti il y a cinq minutes, et même s'il y avait un petit rongeur dans mon bureau, ce qui me surprendrait, il n'aurait pas pu manger tout le contenu d'une boîte à lunch en si peu de temps !

« Vous n'avez aucune idée de ce qu'un hamster mort-vivant peut faire ! » se dit Joe sombrement.

Monsieur Hill lui lança un regard sévère.

— Joe Edmunds, prendre, ou manger, la propriété de quelqu'un d'autre, c'est mal. Tu resteras à l'intérieur pendant la récréation pour bien réfléchir à ton comportement !

Joe retourna à sa classe, la tête baissée.

— Je ne peux pas croire que tu m'as encore mis dans le pétrin ! marmonna-t-il à Boulette, qui était caché dans la poche de sa chemise.

— Je voulais seulement chercher Olivier, se lamenta le hamster. Et comme je ne le trouvais pas, j'ai commencé à m'inquiéter et tu sais à quel point j'ai faim quand je suis inquiet.

Joe leva les yeux au ciel et souhaita pour la centième fois n'avoir jamais posé les yeux sur l'amulette d'Oncle Charlie.

Toute l'école était au courant de l'incident de la boîte à lunch avant la fin de la récréation du matin. Et, pour empirer les choses, mademoiselle Bruce donna un supplément de devoirs à Joe en guise de punition. Boulette s'était endormi dans le sac de Joe, mais la cloche du dîner le réveilla et il commença à se tortiller d'impatience.

— Olivier est là! couina Boulette aussitôt qu'ils entrèrent dans la cafétéria.

Joe prit une grande respiration. Ça allait être difficile de parler à Olivier sans que ses amis pensent qu'il était devenu fou. Les plus vieux ne mangeaient *jamais* avec les plus jeunes. Joe vit Matt et ses autres amis lui faire signe de leur table habituelle. Il leur fit signe en retour, mais poursuivit son chemin. Il se rendit à la table où Toby et Olivier étaient assis avec d'autres garçons et se tira une chaise.

— Salut, dit-il, se sentant très ridicule.

Toby sourit, surpris.

Les deux autres garçons à la table se donnèrent des coups de coude.

— Est-ce que c'est vrai que tu as piqué le lunch de monsieur Hill ? demanda l'un d'eux.

— Euh… ouais, plus ou moins, dit Joe, et son visage rougit.

— Cool ! dit Olivier avec un grand sourire.

Toby rayonnait aussi.

— Parle à Olivier ! Parle à Olivier ! couinait Boulette, qui sautait sur la boîte à lunch de Joe. Parle-lui de moi !

— Ouais, c'est que j'avais besoin d'une collation pour me ravigoter, dit Joe en faisant semblant de bâiller. Je suis tellement fatigué… J'ai passé la nuit debout à travailler sur mon projet d'école sur… euh… les hamsters.

Toby semblait confus. C'était la première fois qu'il entendait dire que Joe avait un projet d'école.

Mais le visage d'Olivier s'illumina.

— Vraiment ?

— Ouais, dit Joe. Je dois faire un sondage. Tu sais, parler à des personnes qui ont des hamsters comme compagnons et leur demander quelle nourriture est la meilleure, quels sont les jouets que leur compagnon aime…

— Mon hamster Boulette aime sa roue, dit Olivier joyeusement.

Joe fronça les sourcils. Olivier voulait sûrement dire que Boulette *aimait* sa roue.

— Mais son jouet préféré est sans aucun doute sa balle de hamster, ajouta Olivier. Je l'ai achetée pour lui pendant la fin de semaine. Il adore se mettre dedans et rouler sur le plancher de ma chambre !

— Quoi ?! s'exclama Boulette. Il ne m'a jamais acheté de balle !

— Oh, cool, dit Joe. Alors, tu as un hamster comme compagnon ? Est-ce que je pourrais te poser des questions sur… Boulette ?

Olivier sourit.

— Bien sûr ! Qu'est-ce que tu aimerais savoir ?

Joe sortit un crayon et une feuille de papier froissée de son sac pour prendre des notes.

— Parle-moi des habitudes alimentaires de Boulette. Les hamsters sont parfois gourmands, n'est-ce pas ?

— Boulette est indéniablement gourmand ! dit Olivier. C'est-à-dire, il l'était, ajouta-t-il avec un air un peu inquiet. Il y a environ une semaine, il est soudainement devenu tout maigre et maintenant, il peut entrer dans ses tunnels comme avant.

— De quoi il parle ? cria Boulette. Je ne suis pas maigre ! Regarde-moi !

Joe était perplexe.

— Vraiment ? Ça a l'air plutôt étrange.

— Ouais, dit Olivier. C'est ce que je pensais aussi. Mais Maman a dit que les hamsters perdent souvent du poids au printemps.

— Et l'aspirateur, dans tout cela ? cria Boulette en sautant dans les airs de frustration.

Joe se gratta le nez. Il se passait quelque chose d'étrange. On aurait dit qu'Olivier pensait que Boulette était toujours vivant. Mais comment était-ce possible ? Le hamster qu'Olivier décrivait ne ressemblait pas à Boulette. À moins que… C'était peut-être un autre hamster !

C'était sûrement cela ! Après l'accident, on avait remplacé Boulette par un autre hamster sans qu'Olivier le sache !

— J'ai été remplacé ! braillait Boulette. Et Olivier ne le sait même pas !

Joe et le hamster étaient dans les toilettes des garçons pour discuter avant le début des classes d'après-midi. Depuis que Boulette avait appris qu'il avait été remplacé, il était devenu si nerveux qu'il mangeait tout ce qui était à sa portée !

— Arrête ça ! dit Joe en retirant une boulette de papier toilette de la bouche de Boulette. Regarde le bon côté des choses. Au moins, Olivier ne s'ennuie pas !

— Tu dois lui dire que ce n'est pas son vrai hamster ! se lamenta Boulette.

— Comment ?

— Je ne sais pas. Mais tu dois faire *quelque chose* ! Tu as entendu Olivier. Il est inquiet de ma

perte de poids. Sauf que ce n'est pas moi, c'est un imposteur maigrichon !

En disant cela, il saisit un pain de savon et commença à mâcher bruyamment. D'énormes bulles roses commencèrent à sortir de son nez.

Joe grimaça. Il n'était pas expert en hamsters, mais il ne pensait pas que de manger du savon était bon pour les hamsters — même les hamsters morts-vivants !

Et puis, soudainement, une idée prit naissance dans son esprit. *Un expert en hamsters ?* Voilà ce dont Olivier avait besoin. Quelqu'un qui pourrait lui expliquer pourquoi « Boulette » était devenu si maigre. Quelqu'un qui pourrait aller chez lui et lui donner des conseils.

— Je crois avoir un plan, dit Joe lentement.

Boulette arrêta de mâcher.

— Je vais devenir un expert en hamsters. Je vais apprendre tout ce qu'il y a à savoir sur les hamsters. Ensuite, je vais offrir d'aller faire un tour et rendre visite à Boulette pour voir pourquoi il perd du poids.

— Mais Boulette ne perd *pas* de poids, grosse andouille! s'écria Boulette. C'est *moi*, Boulette!

— Oui, on le sait, toi et moi, mais Olivier ne le sait pas! lui dit Joe, exaspéré. Tu ne comprends pas? Rendu chez Olivier, je pourrai trouver une manière de lui révéler que son hamster n'est pas toi! Mais tout d'abord, je dois le convaincre de m'inviter, ce qui est la raison pour laquelle je dois faire semblant d'être un expert en hamsters.

Boulette soupira.

— J'imagine que ça pourrait marcher.

— Ça *va* marcher! dit Joe fermement.

Il fallait que ça marche! Sinon, il serait pris pour toujours avec le hamster dévoreur de savon le plus râleur de l'univers! Et tout d'un coup, Joe se rappela quelque chose.

— Mais oui! Toby a dit qu'il allait chez Olivier après l'école, demain. Ça va faciliter les choses! Je pourrai y aller avec lui.

Boulette renifla avec désespoir.

— J'espère que oui.

«Moi aussi», se dit Joe, épuisé.

Heureusement pour Joe, le dernier cours de son groupe avait lieu à la bibliothèque le lundi, donc il se dirigea directement vers la section des livres de référence. Il prit tous les livres sur les hamsters qu'il put trouver et s'installa pour lire.

— Savais-tu qu'il y a plus de 40 couleurs de hamsters ? chuchota-t-il à Boulette, qui faisait son « chemin » à travers son propre livre.

Un livre très ennuyeux sur les perruches, qui était meilleur à manger qu'à lire.

Crounch !

— Et savais-tu que les hamsters peuvent avoir jusqu'à 13 petits à la fois ? ajouta Joe lorsque Matt se joignit à lui.

Matt grimaça lorsqu'il vit le livre de Joe.

— Pourquoi lis-tu sur les hamsters ?

Joe haussa les épaules.

— Juste par curiosité. Hé, savais-tu que la plupart des hamsters de compagnie vivent seulement jusqu'à l'âge de 2 ans ? Ce n'est pas très long, n'est-ce pas ?

Boulette souffla bruyamment et leva les yeux au ciel. Soudainement, Joe se rendit compte que de parler de l'espérance de vie d'un hamster n'était probablement pas la meilleure chose à faire devant Boulette.

— Mais ils ont un sens de l'odorat incroyable ! ajouta-t-il rapidement.

Lorsque la cloche sonna, Joe était en train de devenir un expert ennuyeux sur les hamsters !

— Hé ! Devinez quoi ! dit Joe alors qu'il sortait de l'école avec Matt et Toby. Les plus petits hamsters du monde habitent la Mongolie et ils n'atteignent que 4 ou 5 centimètres de long !

Matt lui lança un regard étrange.

— Mmh mmh.

— Et savais-tu qu'une année d'humain est égale à 25 années de hamster ?

— Ouais, ouais, si tu le dis, dit Matt.

— Et savais-tu que les hamsters sont originaires du désert de la Syrie, où ils bâtissent de complexes systèmes de tunnels ?

Matt gonfla les joues.

— C'est quoi ton truc avec les hamsters, tout à coup ?

— C'est à cause de son projet d'école ! dit Toby.

Matt fronça les sourcils.

— Hein ? Quel projet d'école ?

Joe fit rapidement dévier la conversation vers le sujet des jeux vidéo.

Boulette, quant à lui, qui était de mauvaise humeur à cause du manque de sommeil, passa le voyage à se plaindre du fait que la maman d'Olivier l'avait remplacé.

— C'est un scandale! couina-t-il. Olivier doit être en train de gaver le nouveau hamster de gâteries pour essayer de le faire grossir. On doit lui dire ce qui est vraiment arrivé!

Joe soupira. La nuit allait être longue si Boulette continuait ainsi. Il allait retourner consulter les courriels de sa maman lorsqu'il arriverait à la maison pour voir si Oncle Charlie avait répondu. Mais, aussitôt entré, il se rendit compte que son plan allait devoir attendre…

CHAPITRE SEPT

La maison était en état de chaos total ! Les fenêtres étaient grandes ouvertes, le tapis de l'entrée était enroulé et Maman était à quatre pattes en train de frotter le plancher.

— Qu'est-ce qui se passe ? demanda Joe.

— Oh, salut, les garçons, dit Maman en levant le regard.

Ses yeux étaient rouges et on aurait dit qu'elle avait le nez bouché.

— Vous avez passé une bonne journée ?

Elle se leva et donna à chacun un petit baiser humide.

— Désolée, je crois qu'on a des acariens. Ou peut-être des souris. Je ne suis pas sûre, mais je ne peux pas arrêter d'éternuer, donc il doit y avoir quelque chose de mauvais dans l'air.

Joe gémit. « C'est sûrement Boulette ! »

— Est-ce que vous pourriez m'aider ? demanda Maman. Je vous donnerai un supplément d'argent de poche. Toby, tu peux épousseter la salle à manger.

— Oui, bien sûr ! dit-il en souriant et en prenant son plumeau.

— Joe, ça te dérangerait de finir le plancher pendant que je commence dans le salon ?

Elle lui remit la brosse à récurer qu'elle tenait, puis s'en alla chercher l'aspirateur. Un instant plus tard, il ronronnait dans la pièce voisine.

Au son de l'aspirateur, il y eut une secousse soudaine dans le sac de Joe. Boulette sortit par l'ouverture comme le bouchon d'une bouteille de champagne, atterrit par terre avec un bruit sourd et déguerpit.

— Boulette! Reviens! souffla Joe en le pourchassant dans la cuisine.

Mais Boulette n'était nulle part. Joe regarda dans la boîte à pain, dans la boîte à biscuits et dans les armoires. Rien. Puis, il entendit un bruit dans le congélateur

— un bruit de craquement et de rongement. Joe ouvrit la porte et y trouva Boulette, entassé dans un coin en train de dévorer une boîte de bâtonnets de poisson.

— Boulette ! dit Joe. Qu'est-ce que tu fais là ?

— C'est le seul endroit où je n'entends pas cet horrible aspirateur, se lamenta le hamster.

—Tu ne peux pas rester ici, tu vas geler !

Puis, Joe se souvint que Boulette n'était pas un hamster normal — il était un hamster mort-vivant !

— Ah, c'est vrai.

Le hamster lui lança un regard noir.

— Ferme la porte et laisse-moi tranquille !

— Eh bien, arrête au moins de manger tous les bâtonnets de poisson.

— Oh non, pas encore ! dit une voix sarcastique. C'était Sarah. Elle secoua la tête.

— Ne me dis pas ; ton ami imaginaire habite dans le congélateur ?

Joe ferma la porte avec un bruit sourd.

— Je n'ai pas d'ami imaginaire ! dit-il sèchement, et il retourna dans le corridor pour frotter le plancher.

Dès qu'il eut terminé, il se faufila dans la cuisine pour voir comment allait Boulette, mais celui-ci avait disparu. (Tout comme deux boîtes de bâtonnets de poisson, un sac de petits pois congelés et la moitié d'un contenant de crème glacée au chocolat.)

— Ça vous dirait, un poisson-frites pour le souper? demanda Maman de derrière lui. Je voulais faire des bâtonnets de poisson, mais on n'en a plus. Papa va passer au restaurant en revenant à la maison. Prenez une collation en attendant.

— Maman, est-ce que je peux utiliser l'ordinateur? demanda Joe. Je dois faire une recherche pour un projet d'école sur les animaux de compagnie.

— Oh, tu vas aimer ça!

Maman ramassa la cire à meubles.

— D'accord, mais ne fais pas de dégât. Tu sais que Papa déteste trouver des miettes dans le clavier!

Joe saisit un sac de croustilles et un carton de lait fouetté et se dirigea vers la salle à manger. Il savait qu'il aurait probablement dû se mettre à la recherche de Boulette, mais il profitait pleinement de cette pause sans le rongeur éprouvant. Il devait en apprendre plus sur les hamsters. Et, encore plus important, il voulait voir si Oncle Charlie avait répondu à son courriel!

Il cliqua sur le compte de courriel de sa maman. Aucun nouveau message.

Joe soupira. Oncle Charlie était probablement dans les os de dinosaures jusqu'au cou.

Il ouvrit le navigateur Internet et écrivit le mot «hamsters» dans la barre de recherche. Il trouva beaucoup de sites intéressants, y compris un site sur leurs problèmes de santé. Il y avait beaucoup de renseignements sur les dents des hamsters et cela donna une idée à Joe.

Cependant, il n'eut pas grand temps pour y penser, car la porte d'entrée s'ouvrit à ce moment et l'arôme délicieux du poisson-frites se répandit dans la maison.

— C'est l'heure du souper! appela Papa.

Alors que la famille s'asseyait pour le repas, Joe gardait l'œil ouvert. Il n'eut pas à attendre longtemps : il eut à peine le temps de prendre une bouchée avant que le hamster se hisse sur la table et commence à s'empiffrer.

— Miam! Délicieux! dit-il en avalant une frite entière d'une seule bouchée, comme un avaleur de couteaux au cirque.

Pendant ce temps, le nez de Maman avait recommencé à remuer et Joe savait que les éternuements allaient bientôt reprendre. Il avala son souper le plus rapidement possible.

— Ralentis, Joe, dit Papa. Ce n'est pas une course.

— Ouais, Joe, tu manges comme un cochon! dit Sarah avec mépris.

Mais Joe s'en moquait. Il surveillait Maman. Ses yeux coulaient déjà. Les éternuements allaient commencer d'un instant à l'autre…

ATCHOUM! Maman enfouit son nez dans un mouchoir. Joe avala ses dernières frites, saisit le hamster et se leva.

— Je vais aller finir mes devoirs, dit-il.

Et avant que quelqu'un puisse lui dire que c'était à son tour de débarrasser la table, il partit à toute vitesse.

— Tu m'as mis dans le pétrin tellement de fois, aujourd'hui ! dit Joe lorsqu'ils furent de retour dans sa chambre. Je n'ai même pas pu manger en paix.

— Ce n'est pas de ma faute. Comprends-tu que je suis bouleversé ? J'ai été *remplacé* ! bouda Boulette.

— *Moi aussi*, j'aimerais pouvoir te remplacer, marmonna Joe. Maintenant, reste tranquille ou j'irai moi-même chercher l'aspirateur pour régler ton cas.

Boulette prit une grande inspiration et courut sous le lit de Joe avec une expression d'horreur. Il ne réapparut pas du reste de la soirée.

Lorsqu'il alla se coucher, Joe sortit un sac de caramels qu'il avait mis de côté depuis Noël.

— J'ai sorti des sucreries, appela-t-il. Tu peux en manger à volonté…

Il espérait que cela tiendrait le hamster occupé toute la nuit.

Aucune réponse de Boulette.

— C'est comme tu veux ! dit Joe en grimpant dans son lit.

Quelques minutes plus tard, il dormait.

Joe se réveilla en sursaut. C'était quoi, ce bruit ? Il regarda son horloge. Il était passé minuit. Il écouta et l'entendit encore — un bruit sourd qui venait de la cuisine.

— Boulette ! grogna-t-il.

Il saisit sa lampe de poche et descendit les marches sur la pointe des pieds. Le bruit était de plus en plus fort au fur et à mesure qu'il s'approchait de la cuisine. Joe ouvrit la porte et eut le souffle coupé.

Il y avait de la nourriture partout ! Des tranches de pain étaient éparpillées sur la table de cuisine, une boîte de haricots ouverte s'était renversée sur le comptoir et un bocal d'oignons marinés était brisé en mille morceaux sur le plancher. Boulette, qui était assis au beau milieu de tout cela, semblait au bord des larmes.

— J'avais faim !

— Tu as semé la pagaille, tu veux dire !

Joe saisit des essuie-tout et commença à essuyer le jus de la boîte de haricots. Boulette fit un BRÔOOO malodorant et cacha sa tête dans ses mains en disant :

— C'est plus fort que moi. Je suis si inquiet pour Olivier.

Joe était sur le point de répondre lorsqu'il entendit des pas. Oh! Oh! Apparemment, il n'était pas le seul à s'être fait réveiller par le bruit!

— Joe! Qu'est-ce qui se passe ici?

C'était Maman. Elle portait une chemise de nuit et son nez était encore rouge à cause des éternuements.

— Euh… eh bien…, balbutia Joe. J'avais faim et j'ai décidé de me faire une collation.

— Toute une collation, oui!

Maman lui lança un regard fâché. En général, elle était assez nonchalante par rapport aux dégâts, mais même sa patience avait des limites! Puis, elle soupira.

— Fais attention au verre cassé, Joe. Je vais chercher l'aspirateur.

— NOOOON! hurla Boulette. Pas l'aspirateur!

Il décolla comme un sprinteur olympique et quitta la cuisine.

Joe soupira et aida sa maman à nettoyer le reste du dégât. Pendant qu'elle rangeait l'aspirateur, Joe prit subtilement une miche de pain et un pot de confiture et les monta à sa chambre, au cas où Boulette aurait la fringale avant le matin. Mais lorsqu'il arriva en haut, il n'y avait aucune trace du hamster. Il déposa la nourriture sur son bureau, se remit au lit et s'endormit.

CHAPITRE HUIT

Lorsque Joe se réveilla, la nourriture avait disparu et Boulette dormait dans le tiroir à chaussettes, son nez taché de rose à cause de la confiture.

Joe se déplaça sur la pointe des pieds dans sa chambre en se préparant pour l'école. Il espérait pouvoir s'échapper sans Boulette aujourd'hui, mais lorsqu'il ramassa son sac pour partir, le hamster ouvrit un œil rouge perçant et couina : « Est-ce que c'est l'heure de partir ? »

Joe fronça les sourcils.

— Je t'amène seulement si tu promets d'être sage.

Boulette hocha la tête.

— Promis! Es-tu sûr que ton plan va marcher?

— Bien sûr, dit Joe avec confiance.

Mais il n'en était pas sûr du tout. Il n'avait pas encore décidé ce qu'il allait dire lorsqu'il arriverait chez Olivier.

Après un cours de maths ennuyeux pendant lequel Boulette passa son temps à se balancer sur deux pattes au bout du bureau de Joe et à mâcher le couvercle d'un stylo, ils sortirent à la récréation pour trouver Olivier.

Il était de l'autre côté de la cour d'école, en train de jouer au ballon avec Toby et deux autres amis.

— Hé, Olivier! appela Joe.

Olivier fit un signe de la main.

— Salut, Joe!

— Écoute, j'ai pensé à ce que tu as dit hier à propos de la perte de poids de Boulette, dit Joe.

Olivier hocha la tête et son sourire disparut.

LE RETOUR DU HAMSTER AFFAMÉ

— Eh bien, je lisais un livre sur les hamsters pour mon projet d'école et j'ai trouvé un chapitre sur les problèmes de santé, continua Joe.

— Tu penses qu'il a quoi ? demanda Olivier.

— Pas sûr. Ça pourrait être un mal de dents. Si tu donnes trop de gâteries à ton hamster, ça peut faire pourrir ses dents et l'empêcher de manger.

Olivier eut le souffle coupé.

— Est-ce qu'il pourrait mourir ?

— Je suis déjà mort ! grogna Boulette.

Joe ignora Boulette.

— Ça pourrait être autre chose qu'un mal de dents, dit-il en voyant à quel point Olivier semblait inquiet. Donc, je me disais que puisque Toby va chez toi cet après-midi, je pourrais peut-être venir aussi et l'examiner ?

— Ça serait génial. Je vais demander à ma mère après l'école, dit Olivier avec un grand sourire.

Le visage de Boulette s'illumina d'excitation.

— Je vais à la maison ! Je vais à la maison ! couina-t-il de joie.

Joe n'osait pas lui rappeler que ce n'était plus sa maison et que maintenant, elle appartenait à un autre hamster.

À la fin des cours, Joe aperçut Toby et Olivier à l'entrée. Olivier parlait à sa mère. Elle semblait inquiète.

— Hé, Joe ! dit Olivier en lui faisant signe d'approcher. Je disais justement à Maman que tu connaissais un tas de choses sur les hamsters et que tu avais offert de venir jeter un coup d'œil aux dents de Boulette. Maman, est-ce que Joe peut venir chez nous, lui aussi ?

— S'IL TE PLAÎT ! S'IL TE PLAÎT ! couinait Boulette de l'intérieur du sac de Joe.

— Je ne sais pas trop…, dit la maman d'Olivier.

On aurait dit que la visite d'un expert en hamsters était la dernière chose qu'elle voulait !

— S'il te plaît! supplia Olivier. Tu sais à quel point je m'inquiète pour Boulette ces derniers temps.

Elle soupira.

— D'accord, alors. Mais Joe doit appeler sa maman pour s'assurer qu'il peut venir.

Elle lui tendit son téléphone cellulaire.

« Ouais! » se dit Joe. Il avait réussi! Il avait eu une invitation pour aller chez Olivier. Tout ce qu'il lui restait à faire était de trouver comment prouver que le hamster d'Olivier était un remplaçant. Ça allait être un peu plus difficile…

CHAPITRE NEUF

Après avoir appelé sa maman, Joe s'en alla chez Olivier avec Toby.

— J'ai trop hâte de te montrer Boulette ! dit Olivier avec un large sourire.

Boulette, qui sortait son nez du sac de Joe, gémit.

— J'aimerais qu'il arrête d'appeler cet imposteur « Boulette ». C'est *moi*, Boulette !

Joe l'ignora.

— Alors, Olivier, quand as-tu remarqué que ton hamster avait perdu du poids ?

La maman d'Olivier lança un regard vers Joe.

— C'était il y a environ une semaine, je crois, dit Olivier. J'étais dans mon lit et je regardais Boulette jouer dans sa cage quand tout d'un coup, il est passé dans l'un de ses tunnels. Ça faisait des mois qu'il n'était plus capable de le faire.

Le vrai Boulette fit un gros *pfft* mouillé.

— C'est parce que ce n'était pas moi !

— Mmh, fit Joe, pensivement. Donc, la perte de poids a été très soudaine ?

La maman d'Olivier plissa les yeux.

— Ouais, dit Olivier. Vraiment soudaine.

— As-tu remarqué autre chose d'étrange chez Boulette ? demanda Joe. Comme un petit changement de couleur, peut-être ?

À ce moment, la maman d'Olivier toussa très fort.

— Alors, Joe, est-ce que tu as des passe-temps ?

Joe essayait de ne pas sourire. « Vous voulez dire, en plus d'être un insupportable expert en hamsters ? » se dit-il.

Après cela, chaque fois que la conversation revenait sur les hamsters, la maman d'Olivier changeait de sujet. Lorsqu'ils arrivèrent enfin à la maison, elle semblait irritable et fatiguée.

— C'est chez moi! dit Olivier lorsqu'ils arrivèrent devant une maison unifamiliale avec une porte d'entrée bleue.

Ils entrèrent et Olivier enleva ses chaussures.

— Ma chambre est en bas. Venez voir Boulette!

— Est-ce que Joe et Toby aimeraient prendre une collation avant? demanda la maman d'Olivier.

Lorsque Joe entendit le mot « collation », son ventre se mit à gargouiller.

Olivier fronça les sourcils.

— Est-ce qu'on peut la prendre dans ma chambre? Je veux vraiment qu'ils voient Boulette!

La maman d'Olivier hésita.

— D'accord, dit-elle d'un ton fatigué. Laissez vos chaussures et vos sacs dans le corridor, les garçons. Et faites attention à l'aspirateur. Je n'ai pas eu le temps de le ranger avant d'aller vous chercher à l'école.

— Non! Pas l'aspirateur! s'écria Boulette.

Joe sortit Boulette de son sac et le mit dans sa poche, puis il suivit Toby et Olivier jusqu'à la chambre à coucher.

La cage à hamster était posée sur une table basse, sous la fenêtre de la chambre d'Olivier.

« Wow ! » se dit Joe. Elle avait trois étages et tous les étages étaient reliés par des tubes en plastique colorés. Et au premier étage, bien endormi dans un nid de copeaux de bois, se trouvait Boulette. Le nouveau Boulette !

Boulette se tortillait dans la poche de Joe.

— Je ne peux pas voir ! Sors-moi d'ici !

Joe sortit le hamster de sa poche et le déposa sur la table sans que les autres s'en rendent compte.

— Il ne me ressemble pas du tout ! dit le vrai Boulette. Il est totalement différent !

C'était vrai qu'ils ne se ressemblaient pas. Mais c'était surtout parce que le vrai Boulette était maintenant un hamster zombie, avec la peau légèrement verte et de gros yeux rouges exorbités !

Olivier se pencha et regarda son nouveau hamster.

— Il est génial, non ?

Toby sourit.

— Ouais, il est vraiment cool !

— Quand vas-tu le lui dire ? demanda Boulette.

Joe haussa les épaules. Il ne savait pas trop par où commencer.

Pendant ce temps, Olivier tapait doucement sur la cage.

— Je vais le réveiller et là, tu pourras regarder ses dents.

Boulette s'en alla en boudant. Il avait aperçu quelque chose de familier sur le dessus de la commode d'Olivier. Sa vieille boîte à gâteries! Il commença à escalader la commode comme un alpiniste.

Olivier mit sa main dans la cage et en sortit le hamster endormi.

— Tu veux le prendre?

Alors que Joe caressait la fourrure du hamster, il décida que les hamsters en vie étaient nettement mieux que les morts-vivants qui se lamentent! La petite créature ouvrit les yeux et renifla la main de Joe.

— Il cherche probablement une gâterie, dit Olivier avec un sourire.

— Hein? grogna le vrai Boulette, qui avait escaladé la moitié de la commode.

— De quoi ont l'air ses dents ? demanda Olivier.

Joe n'était pas certain de ce qu'il devait faire pour vérifier. Aucun des livres n'avait expliqué comment faire ouvrir la bouche à un hamster.

— Je vais lui donner une minute pour s'habituer à moi, dit Joe, et j'essaierai de regarder après…

Olivier hocha la tête.

— D'accord. Mais est-ce que tu trouves qu'il a l'air en santé ? J'essaie de le faire manger plus, pour le renforcer, mais il n'a pas autant d'appétit qu'avant.

— Ses yeux sont clairs et son poil est luisant, dit Joe en déplaçant ses mains alors que le nouveau Boulette courait d'une paume à l'autre. Et il est plein d'énergie !

C'était vrai. C'était un très beau hamster, tout à fait bien proportionné — contrairement à d'autres hamsters que Joe connaissait. À ce moment, il entendit manger bruyamment et se retourna pour voir le vrai Boulette, assis sur le dessus de la commode et en train de s'empiffrer de petites gâteries vertes. C'est là que quelque chose capta l'attention de Joe — un cadre photo sur la commode.

En tenant toujours le nouveau hamster dans ses mains, Joe s'approcha pour mieux le voir.

— Est-ce que c'est toi et Boulette ?

Olivier fit signe que oui.

— C'était nous à Noël…

Joe regarda la photo, puis le nouveau hamster. Même sans les yeux rouges et la teinte verte, il était évident que le Boulette de la photo était très différent du nouveau hamster.

— Wow, Boulette a vraiment changé, hein ?

Joe tint le nouveau hamster près de la photo.

— Regarde la couleur de son poil ; il est plus clair, n'est-ce pas ? Même son nez est différent.

Les yeux d'Olivier s'écarquillèrent.

— C'est bizarre.

À ce moment, la maman d'Olivier entra dans la chambre avec un plateau rempli de galettes d'avoine et de croustilles.

— Tout va bien, ici ? demanda-t-elle d'un ton nerveux.

Lorsque Joe se retourna pour la regarder, le nouveau Boulette se tortilla à travers ses doigts — et sauta ! Joe tenta d'attraper le hamster, mais il le manqua et se heurta contre la commode. La commode se mit à basculer et Boulette sauta d'un côté en faisant tomber le cadre photo qui s'écrasa par terre, fracassant la vitre à l'intérieur.

Pendant une seconde, tout le monde resta figé. Puis, ce fut le chaos.

— Attention à la vitre, les garçons ! dit la maman d'Olivier en déposant le plateau sur le lit d'Olivier. Vous êtes nu-pieds !

Mais Olivier n'écoutait pas.

— Où est Boulette ? Je ne le vois pas !

— Lequel ? demanda Joe, sans penser.

— Attrapez-le ! cria Olivier pendant que le nouveau Boulette courait autour de leurs pieds.

— Attention à la vitre ! cria la maman d'Olivier.

Puis, Joe eut une idée. Il se précipita hors de la chambre et dans le corridor. Il ramassa l'aspirateur et l'amena dans la chambre, où Olivier et Toby couraient après le hamster tandis que la maman

d'Olivier regardait le tout avec une expression de terreur.

— Arrête de bouger, Olivier! cria encore sa maman. Tu es directement sur la vitre cassée!

— Ne vous en faites pas, je vais m'en occuper, dit Joe.

Il brancha l'aspirateur et le mit en marche.

Et c'est là que cela arriva. La maman d'Olivier jeta un coup d'œil à l'aspirateur, puis au hamster

qui galopait à leurs pieds. Elle agita ses mains vers Joe.

— Non ! Pas l'aspirateur ! Il ne faut pas aspirer Boulette ! cria-t-elle. Pas comme la dernière fois !

Olivier s'arrêta net.

— Quoi ?

La maman d'Olivier se couvrit la bouche avec sa main, comme si elle avait voulu aspirer les mots qu'elle venait de prononcer.

CHAPITRE DIX

Joe éteignit l'aspirateur — au grand soulagement du vrai Boulette, qui était toujours sur le dessus de la commode, figé par la peur ! Aussitôt que le bruit cessa, le nouveau hamster sortit d'en dessous du lit d'Olivier et Joe se jeta sur lui.

— Je te tiens !

— Qu'est-ce que tu veux dire, « pas comme la dernière fois », Maman ? demanda Olivier.

La maman d'Olivier lâcha un énorme soupir et sembla soudainement soulagée.

— Olivier, je crois que je te dois des explications.

— Donc, tu vois, lorsque je me suis rendu compte de ce qui arrivait, il était déjà trop tard…

La maman d'Olivier renifla.

— Je suis vraiment désolée, Olivier.

Joe et Toby étaient assis dans la cuisine avec Olivier et sa maman, sirotant du chocolat chaud. Boulette était là aussi, en train de prendre des gorgées discrètes de la tasse de Joe.

Olivier fronça les sourcils.

— Donc, les dents de mon hamster ne sont pas pourries ?

La maman d'Olivier secoua la tête.

— Et il n'est pas malade ?

— Non.

— C'est en fait un hamster totalement différent ?

Sa maman baissa les yeux et regarda ses mains.

— Je suis vraiment désolée, Olivier. Ce n'était qu'un terrible accident. J'ai dû laisser la cage de Boulette ouverte après l'avoir nettoyée. Et alors que je passais l'aspirateur, il est apparu soudainement et je l'ai aspiré.

Olivier semblait horrifié.

Boulette donna un petit coup de coude à Joe.

— Dis-lui que ça n'a pas fait mal !

— Je ne pense pas qu'il a souffert, dit Joe. Je suis sûr que c'est arrivé très vite.

Olivier soupira et hocha la tête.

Sa maman se mordit la lèvre. Elle semblait être au bord des larmes et Joe se sentait un peu mal pour elle. C'était un accident, après tout, et elle

avait remplacé le hamster seulement pour qu'Olivier ne soit pas triste.

Puis, Olivier prit une grande respiration.

— Ne t'en fais pas, Maman. Je suis triste pour l'ancien Boulette, mais je sais qu'il a eu une bonne vie.

— C'EST VRAI! C'EST VRAI! couina Boulette.

— Je pourrais peut-être nettoyer la cage moi-même à partir de maintenant, dit Olivier.

Maman sortit un mouchoir de sa poche et se moucha.

— Oui, je crois que c'est une bonne idée.

— Et tu ne devrais pas donner autant de gâteries au nouveau hamster, dit Joe en regardant Boulette qui était perché sur la poignée de sa tasse, la tête baissée à l'intérieur pour pouvoir boire. Comme ça, il pourra toujours jouer dans ses tunnels.

— Hé! Est-ce que tu viens de me traiter de gros? rouspéta Boulette, le nez recouvert de chocolat chaud.

La maman d'Olivier mit son bras autour de son fils et l'étreignit.

Joe traîna le bout de sa chaussure sur le plancher. Il se sentait toujours un peu drôle quand les gens se faisaient des câlins.

— Je vais aux toilettes, dit-il.

Boulette sauta de la table et le suivit dans le corridor. Joe remarqua que le hamster semblait différent. Pas si vert, tout d'un coup…

— Est-ce que tu vas bien, Boulette?

Le hamster fit un grand sourire.

— Il est temps que je parte, Joe. Maintenant que la vérité est sortie, je me sens prêt à passer de l'autre côté.

Boulette semblait scintiller légèrement et devenait de plus en plus transparent.

LES COMPAGNONS MORTS-VIVANTS

— As-tu besoin de quelque chose pour le voyage ? Des sucreries ? Des croustilles, peut-être ?

Boulette pressa sur ses joues gonflées.

— J'ai pris des gâteries dans la chambre d'Olivier. Je les garde pour plus tard ! Adieu, Joe. Merci pour tout.

BRÔOOO!

Joe prit la minuscule patte du hamster dans sa main et la secoua légèrement.

— Adieu, Boulette. Euh… bonne chance !

Boulette pâlit jusqu'à se réduire à un faible contour du hamster… puis il disparut complètement. Joe entendit un tout petit BRÔOOO ! et tout ce qu'il restait de Boulette était une faible odeur d'oignons.

Maman arriva un peu plus tard pour chercher Joe et Toby. Après avoir échangé encore quelques mots sur les hamsters avec Olivier et lui avoir promis de revenir bientôt, Joe et Toby la suivirent jusqu'à la voiture.

Joe était silencieux sur le chemin du retour. Il était soulagé que Boulette soit parti, mais un peu triste aussi. Il n'avait jamais été aussi près d'avoir son propre compagnon — même s'il s'agissait d'un compagnon fatigant, gourmand et *mort-vivant*.

Lorsqu'il arriva à la maison, Joe s'en alla directement à l'ordinateur pour envoyer un autre courriel à Oncle Charlie.

Cher Oncle Charlie,

Ne t'en fais pas. Tout est réglé ! J'ai très hâte de te raconter mon aventure !

Joe

ENVOYER

Puis, il monta à sa chambre. Alors que Joe enlevait ses chaussures et se couchait sur son lit, il sourit. Les derniers jours avaient été étranges. Il avait eu une vraie aventure — une aventure dont Oncle Charlie serait fier !

Il était quand même soulagé que tout soit revenu à la normale. « Je vais peut-être même arriver à dormir, ce soir », se dit Joe en étirant ses jambes et en fermant les yeux pour un instant.

Et c'est là qu'il l'entendit. Un très faible miaulement, fantomatique et étrange. Joe se rassit et écouta. Il l'entendit encore… Ça semblait venir du jardin. Comme si un chat se promenait à l'extérieur. Mais c'était un miaulement comme il n'en avait jamais entendu auparavant. Il était sur le point de regarder par la fenêtre lorsqu'il entendit Papa appeler d'en bas : « Le repas est servi ! »

Joe sourit. « C'est juste le vent », se dit-il fermement.

Alors que Joe fermait la porte de sa chambre, l'amulette d'Anubis se mit à scintiller sur sa table de nuit. À l'extérieur, une ombre noire rôdait — une ombre en forme de chat. Et deux yeux étonnamment jaunes clignèrent dans la noirceur, observant et attendant…

Joe est un garçon comme les autres, jusqu'au jour où il fait un vœu sur une sinistre amulette égyptienne...

Désormais, il est le protecteur des COMPAGNONS MORTS-VIVANTS... et une chatte folle est à ses trousses !

La pauvre Cléo a connu sa fin sous les roues d'une voiture. Est-ce que Joe peut aider Cléo à protéger sa sœur avant qu'il n'y ait une autre chat-astrophe ?

Ne manquez pas le prochain tome

Voici un extrait pour vous mettre l'eau â la bouche...

CHAPITRE UN

C'était samedi matin et Joe se trouvait au rayon peinture de la quincaillerie locale. Il se demandait quelle couleur cela donnerait s'il mélangeait de la peinture orange avec de la violette et de la dorée lorsque, du coin de l'œil, il vit un éclair gris disparaître sous les étagères.

— C'était quoi, ça ? dit-il.

— Mmh ? marmonna Papa, qui lisait les étiquettes sur les pots de peinture.

Il ne leva pas le regard.

La grande sœur de Joe, Sarah, fronça les sourcils.

— Je n'ai rien vu.

— C'était gris, un peu comme un écureuil ou quelque chose comme ça, dit Joe en se penchant pour regarder sous les étagères et voir où il était passé.

Sarah leva les yeux au ciel.

— Ils ne laissent pas entrer les écureuils dans les magasins, espèce de bizarroïde !

Joe la fusilla du regard et essaya de trouver une réplique pleine d'esprit, mais au même moment, son petit frère, Toby, passa à toute allure en se tenant sur les roues arrière du chariot de magasinage.

— Attention ! cria Papa.

— Hé ! glapit Sarah en sautant hors du chemin.

Joe sourit. Avec un peu de chance, Toby ne la manquerait pas, la prochaine fois ! Il se retourna vers les échantillons de couleurs et était sur le point d'inventer une autre combinaison farfelue lorsque soudain il le vit encore — un mouvement rapide, qu'il perçut du coin de l'œil. Il se retourna prestement et vit une queue disparaître à l'autre bout de l'allée.

— C'est là ! cria-t-il. Papa, regarde !

— Hein ? dit Papa en levant le regard. Qu'est-ce qu'il y a, Joe ?

— Apparemment, un écureuil qui fait son magasinage, dit Sarah d'un ton suffisant.

— J'ai vraiment vu quelque chose, souffla Joe.

— Ça va, ça va, dit Papa pour tenter de calmer la situation. C'était peut-être un chien guide. Ils ont le droit d'entrer dans les magasins.

Joe était sur le point d'expliquer que c'était plus petit qu'un chien guide, lorsque Toby passa encore à toute allure.

— Arrête ça !

Papa tendit le bras et saisit le chariot, l'arrêtant net. Il soupira.

— Plus vite vous me laisserez me concentrer pour choisir la peinture, plus vite nous pourrons partir.

Il se retourna vers Sarah.

— Dépêche-toi de choisir la couleur que tu veux pour ta chambre. Toby, tiens le chariot en place pendant que je le charge. Et toi, Joe, peux-tu aller me chercher un bouchon pour le bain ? En passant, tu dois encore acheter une nouvelle éponge pour ta maman !

Joe rougit. La dernière éponge de Maman avait été mangée par un compagnon mort-vivant qui lui avait rendu visite : un hamster zombie appelé Boulette et doté d'un énorme appétit ! Ce n'est pas que ses parents étaient au courant. Personne d'autre que Joe n'avait été capable de voir le hamster. C'est donc lui qui avait été blâmé pour l'éponge mutilée — sans parler du fait que le hamster avait mis la cuisine à l'envers et qu'il avait bouffé le dîner du directeur d'école !

— Et n'oublie pas que tu as promis de payer de ton argent de poche, ajouta Papa. Ça sera une belle surprise pour Maman quand elle arrivera du travail.

Joe soupira. Parfois, la vie était trop injuste !

Le rayon des salles de bain était situé complètement à l'arrière du magasin. Joe traversa les allées, passant devant des étagères imposantes. Il y avait toute une section remplie uniquement de sièges de toilette différents. Joe n'avait jamais vu autant de modèles. Il y avait tous les modèles ordinaires, et aussi certains modèles plus sophistiqués. Un siège doré et brillant, un transparent avec des poissons rouges imprimés à l'intérieur… et un très étrange, qui ressemblait à la bouche d'un requin. Joe sourit ;

il aurait aimé acheter celui-là pour faire peur à Sarah! Il cherchait les bouchons de bain lorsque soudain, une petite tête poilue sortit de l'une des toilettes exposées.

— Wô! sursauta Joe.

Ce n'était effectivement pas un chien guide, mais ce n'était pas un écureuil non plus. C'était une chatte. Une chatte gris-argenté à l'air bizarre, qui était recouverte de pansements sales. Aussitôt qu'elle vit Joe, elle se propulsa hors de la toilette comme un boulet de canon, atterrit directement dans ses bras et s'agrippa fermement avec ses griffes.

— Aïe! cria Joe lorsque la chatte grimpa jusqu'à son épaule, où elle se percha comme un perroquet et se mit à scruter son visage. Joe tressaillit. Son haleine sentait le poisson pourri.

— Tu es Joe, n'est-ce pas ? miaula-t-elle d'une voix aiguë. Joe Edmunds, le gardien de l'amulette d'Anubis ? J'ai besoin de ton aide !

Joe grogna. Pas un autre compagnon mort-vivant ! Un peu plus d'une semaine s'était écoulée depuis la visite de Boulette et les choses commençaient à peine à revenir à la normale.

La chatte enfouit sa grosse tête poilue dans le cou de Joe, qui fronça le nez. Son haleine était vraiment épouvantable.

— Je m'appelle Cléo, dit-elle.

Joe leva les yeux au ciel.

— Ne me dis pas que tu es dans le chaos, Cléo !

éditions

www.ada-inc.com
info@ada-inc.com

www.facebook.com/EditionsAdA

www.twitter.com/EditionsAdA